# ik eet een

## Wouter Kersbergen
## met tekeningen van Jan Van Lierde

z Zwijsen

**vis**

ik ben toon.
is vis een beer?
is vis een aap?
is vis een boot?

nee!

eet een vis.
een vis is een vis.
eet een vis.
eet met een mes.

nee!

3

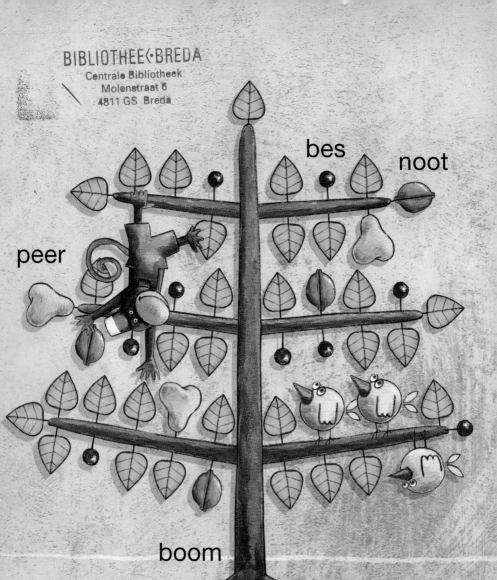

bes

noot

peer

boom

## room

is room een vaas?
is room een raam?
is room een roos?

nee!

eet room.
room is room.
eet room.
eet meer room.

nee!

7

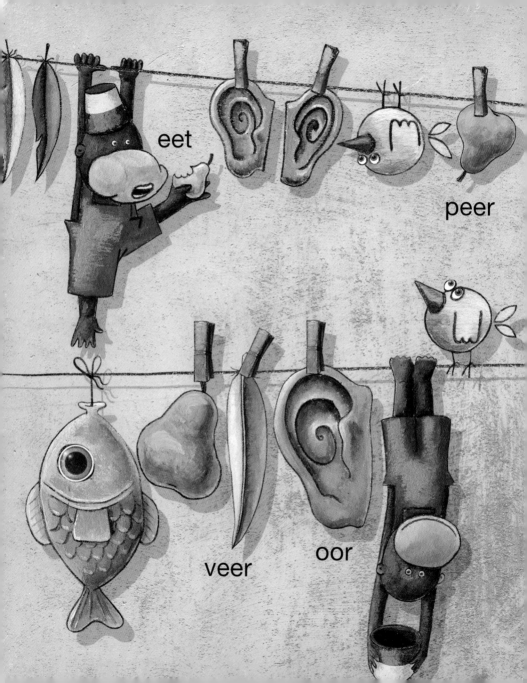

**peer**

is een peer een beer?
is een peer een veer?
is een peer een oor?

nee!

eet een peer.
een peer is een peer.
eet een peer.
eet er meer.

nee!

9

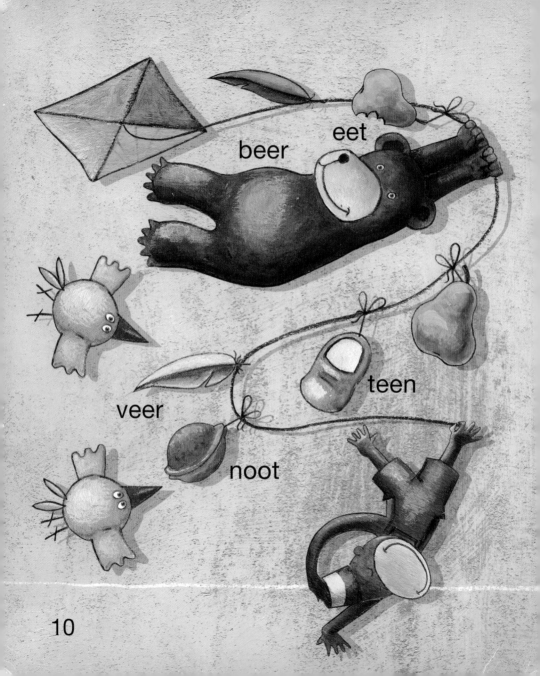

beer

eet

veer

teen

noot

10

## teen

is een teen een poot?
is een teen een vin?
is een teen een veer?

nee.

toon eet teen.
een teen is een teen.
toon eet teen.
een teen van een been.

ik eet er meer!

## sterretjes bij kern 3 van Veilig leren lezen

*na 7 weken leesonderwijs*

### 1. ik eet een teen
Wouter Kersbergen en Jan Van Lierde

### 2. boos boos boos!
Elle van Lieshout & Erik van Os
en Hugo van Look

### 3. een roos voor mees
Helen van Vliet